Les petits secrets des Fables

LE COQ ET LE RENARD

Alexandre Jardin

Fred Multier

D'après Jean de La Fontaine

hachette
JEUNESSE

Il était une fois une école pleine d’animaux.
Dans la cour de récréation, des grenouilles farceuses,
une autruche rigolote, des lapins…
toutes sortes de petites et de grandes bêtes prêtes à s’amuser.
Et même un coq champion de billes !

Trouve la règle,
le taille-crayon
et le pinceau.

Ce coq gagnait à tous les coups : dans la cour,
dans la rue devant l'école et même en classe sous les tables.
Il gagnait aussi les yeux bandés, en lançant ses billes avec son bec,
sur une patte, ou de dos. Trop fort !

Impossible, impossible de le battre.
Même le renard, pourtant habile, n’y arrivait jamais.

Quel sac de billes est différent ?

(Celui d’en haut.)

Les deux animaux passaient toutes leurs récréations
à se disputer pour savoir qui serait le meilleur.
Le renard perdait à chaque fois…
et tout le monde se moquait de lui !
Oh, ces deux-là ne s'aimaient pas !
Le renard cherchait sans cesse comment coincer le coq,
ou lui jouer un mauvais tour.

Trouve une bille bleue
et une bille rouge.

Un jour, il réfléchit plus fort que d’habitude :
comment se venger une bonne fois pour toutes de ce coq trop doué ?
Soudain, il eut une idée : il allait lui piquer son goûter…
Ce serait bien fait pour lui !
Astucieux, il trouva tout de suite comment s’y prendre.

Quel animal ne s’est pas réveillé ?

(Le hibou dans l’arbre.)

À l'heure de la récréation, le renard adoucit sa voix
et posa sa patte autour de l'épaule du coq :
« Gentil coq ! Oublions ces affaires de billes :
nous nous sommes disputés trop longtemps.
Faisons la paix, plutôt ! Veux-tu être mon ami ? »
« Ma foi… avec plaisir, renard ! répondit le coq avec calme.
Moi aussi j'en ai assez de toutes ces fâcheries. »

Au fond de la cour, le lapin intrigué,
la grenouille et quelques autres observaient.
Très surpris de voir les deux ennemis papoter ensemble,
ils se rapprochèrent et grimpèrent les uns sur les autres
pour mieux voir…

Combien comptes-tu d'oiseaux ?
(7.)

Tout content, le renard s'exclama :
« Ah ! tu me fais bien plaisir, ami coq ! Et si on jouait à saute-mouton ?
– Heu… oui, pourquoi pas ? fit le coq un peu étonné.
– Mettons-nous là, loin de la maîtresse. Dans ce coin, personne ne nous dérangera… Et n'oublie pas ton cartable, mon merveilleux ami… »

Trouve le sac de la maîtresse.

(Dans l'arbre.)

« Comme ton sac me paraît lourd ! » fit observer le renard
en ne lâchant pas des yeux le cartable qui contenait le goûter du coq.
Malin, il ajouta :
« Veux-tu que je m'en occupe ?
– Non, tu es bien gentil, renard… Je vais plutôt le poser au pied de l'arb
Et sortir mon goûter pour qu'il ne s'écrase pas au fond.
– Excellente idée ! » s'exclama le filou en se frottant les pattes.

Retrouve le papa oiseau et son fils.
(Oiseaux rouges.)

Le renard continuait à réfléchir à toute vitesse :
« Si je parviens à lui dérober son goûter, je serai bien vengé de toutes les billes qu'il m'a prises. Ah ! la belle punition ! »

Pendant ce temps-là, le coq posait soigneusement une tartelette sur son mouchoir déplié.
Une tartelette, le gâteau préféré du renard !

Trouve l'intrus.
(Le poisson dans l'arbre.)

Tu permets que je commence par goûter, ami renard ?
- Tu ne veux pas plutôt prendre le temps d'aller te laver les ailes d'abord ?
roposa l'animal qui voulait rester seul avec la tartelette.
- Abandonner un instant mon nouvel ami ?
mpensable, voyons ! » répondit le coq.

Un dessin de grenouille est différent. Lequel?

(Le 1er à gauche.)

Et il fit plutôt de grands gestes avec ses ailes…
« Que fais-tu, le coq, pourquoi t'agites-tu ainsi ?
– Ma foi, répondit le coq d'un ton tout tranquille,
j'appelle tous mes autres amis,
ce sera plus sympa de jouer à plusieurs ! »

Trouve 2 fenêtres identiques.

(1ère et 6e.)

Le renard se sentit d’un coup moins sûr de lui.
« Devine à qui j’ai pensé ? » ajouta le coq.
Et il montra de l’aile les deux énormes chiens-loups à l’autre bout de la cour, des grands de CM2.

« Mes bons amis vont se joindre à nous ! »
Et toc ! le coq avala tout rond sa tartelette.

Avec quelle corde s'est emmêlée l'autruche ? (1)

Voyant que les grosses bêtes fonçaient vers lui,
le renard effrayé prit ses pattes à son cou et disparut à toute vitesse !
Enchanté de sa ruse, le coq déclara à la grenouille, au lapin et à l'autruche
« Mes amis, c'est double plaisir de tromper le trompeur ! »

Trouve 3 différences dans l'ombre.

(Patte, queue, moustache.)

À ces mots, les grenouilles farceuses, l'autruche rigolote et le lapin rejoignirent les chiens-loups et le coq. Et tout le monde partagea son goûter en chantant parce que, en vérité, c'est double plaisir de faire les choses ensemble !

Combien de cartables comptes-tu ?
(9.)

Le Coq et le Renard

Sur la branche d'un arbre était en sentinelle
Un vieux Coq adroit et matois.
« Frère, dit un Renard, adoucissant sa voix,
Nous ne sommes plus en querelle :
Paix générale cette fois.
Je viens te l'annoncer ; descends, que je t'embrasse.
Ne me retarde point, de grâce ;
Je dois faire aujourd'hui vingt postes sans manquer.
Les tiens et toi pouvez vaquer
Sans nulle crainte à vos affaires ;
Nous vous y servirons en frères.
Faites-en les feux dès ce soir.
Et cependant viens recevoir
Le baiser d'amour fraternelle.
– Ami, reprit le coq, je ne pouvais jamais
Apprendre une plus douce et meilleure nouvelle
Que celle
De cette paix ;
Et ce m'est une double joie
De la tenir de toi. Je vois deux Lévriers,